A todos
los auténticos y nobles Gauchos
que tuve el honor de conocer.
A. S.

Diseñado por Carolina Sessa.

I.S.B.N.: 950 - 9140 - 41 - 4
Publicado en la Argentina en 1998 por SESSA EDITORES,
COSMOGONIAS S.A.,
Av. Corrientes 880, 8º Piso, Buenos Aires (1043), República Argentina.
Tels: (54-1) 394-7712 / 2571. Fax: 393-2221.
E-mail: asessa@urano.mecon.ar
Coedición realizada por Cosmogonías S. A.
Buenos Aires, República Argentina y
Lisl Steiner, Artist Photo Journal, Estados Unidos de América.
Queda hecho el depósito que dispone la ley Nº 11.723.
© Fotografías de Aldo Sessa.
Impreso en Singapur.

Gauchos
Gauchos
Gauchos
Gauchos

Silvio Zuccheri

FOTOGRAFÍAS

G A U C H O S

prólogo de Elsa Insogna

El gaucho es, al mismo tiempo, un sentimiento y una realidad; es historia y es presente. Aquel protagonista de las *vaquerías* del siglo XVIII, hábil jinete en la captura del ganado cimarrón, pasará a ser, en el siglo siguiente, el *arrimado* o el *changador* de una estancia; en la Banda Oriental lo llamarán *gauderio* y más tarde, ya en el siglo XIX, *gaúcho* (también *gahúcho*). Sólo después de 1810 aparece en la Argentina la palabra *gaucho*; San Martín la utiliza, dándole dignidad, haciendo referencia a "los valientes *gauchos* de Salta".

Largo ha sido el proceso de su afirmación como arquetipo. Partiendo de su fama de vago y pendenciero, ennoblecido su nombre en las guerras de la Independencia y encauzado por las sendas normales del trabajo, el gaucho encarna hoy al hombre de campo, hábil por excelencia en todas las faenas, fuerte, leal, altivo, enérgico, apegado al suelo, orgulloso de su estirpe. El gaucho fue el peón de estancia que trabajó en la creación de esos establecimientos rurales: amansó potros, arreó los ganados desafiando distancias y climas; también fue el baqueano que orientó al viajero y fue el pulpero, figura prototipo del campo argentino, como aquélla de los posaderos cervantinos.

Con orgullo podemos afirmar que el gaucho no desapareció. Fiel a sí mismo, mantiene firme sus ideales y el culto de sus habilidades y de sus destrezas; con sabiduría y constancia sabe transmitirlos a sus hijos, aún a costa de que los tiempos le han impuesto cambios en los aspectos externos de su persona y de su entorno. Es hoy difícil reconstruir la imagen del gaucho plasmada en los documentos iconográficos con su calzón cribado, chiripá a la manera del indio, la lujosa rastra, chaleco andaluz, sombrero en punta, botas de potro con los dedos afuera "para estribar mejor..."; en las manos el rebenque, el lazo... y, eso sí, junto al caballo, ayer y hoy su "lujo" más preciado.

En la República Argentina la figura del gaucho, que alguna vez fue llamado "el caballero andante de las pampas", forma parte del paisaje y en cada región se impregna del color local.

El gaucho "surero" de la Región Pampeana, nuestro gaucho, es sobrio en su decir y en su vestir; luce el poncho pampa y sus habilidades de domador, de buen bailarín y de cantor. En la Mesopotamia, al rojo de los ponchos entrerrianos, se unen la dulzura del guaraní, las alegrías del chamamé, el blanco atuendo del gaucho misionero. El "guardamonte" para el caballo y el "guardacalzón" para el hombre hablan de la naturaleza agresiva del Chaco.

La Sierra es donde el pasado es protagonista; allí se dan los mejores tejedores de ponchos y se goza el ritmo de sus chacareras. El colorido poncho calchaquí y el rojinegro de los salteños iluminan el paisaje severo y las fiestas tradicionales del Noroeste.

Después de cruzar los Andes en gesta heroica, el gaucho cuyano se hizo agricultor y viñatero; "cuecas" y "tonadas" son la expresión de su alegría.

La Patagonia, a su vez, es el inmenso paisaje adonde gauchos de otras regiones acuden a hacer Patria desafiando el clima con sus adustos ponchos negros de Castilla.

G A U C H O S

prologue by Elsa Insogna

The gaucho is both a sentiment and a reality; he is the past and the present. That hero of the cattle drives of the Eighteenth Century, that talented rider in the capture of wild cattle, in the next century will go on to become the foreman or head of a ranch. They called him gauderio in Uruguay and later, in the Nineteenth Century, gaúcho (also gahúcho). Only after 1810 does the word gaucho appear in Argentina. San Martín used it, giving it dignity, when he referred to "the bravo gauchos from Salta" who had fought in the war of independence from Spain.

The process of their development as a type has been long. They began with the reputation of being lazy and belligerent and later dignified their name in the wars of independence. By taking the normal paths of their labor, the gaucho today epitomizes the man of the countryside, extremely talented in all aspects of his work, strong, loyal, haughty, energetic, attached to the land, proud of his ancestry. Some gauchos were the laborers on the ranches who worked to create these rural establishments; some tamed broncos and rounded-up cattle, defying distances and weather; some were the experts that guided travelers. The gaucho as the owner of the local bar (pulperia) was the prototype of the Argentine pampas, similar to Cervantes' innkeepers. We can proudly say that the gaucho has not disappeared. True to himself, he stays firm in his ideals and cultivation of his talents and skills. He knows how to pass these ideals to his children, although time has caused changes in his appearance and environment. It is difficult today to reconstruct the image of the gaucho as he is typically pictured, with his distinctive trousers, his elegant belt, Spanish vest, flat-brimmed hat, riding boots with the toes exposed "to mount better..."; the whip and lasso in his hand, standing next to his horse, as always his most valuable "luxury".

In Argentina, the figure of the gaucho, who was once called "the wandering horseman of the pampas", is part of the landscape. The southern gaucho from the Pampas, our gaucho, is sober in his speech and his dress, he wears the pampas poncho and is a talented horse breaker, a good dancer and singer. In Mesopotamia made up of the provinces of Entre Rios, Corrientes and Misiones, to the red of the ponchos is added the sweetness of the Guaraní language, the pleasures of the chamamé (a popular folk rhythm), and the white costumes of the Misiones gaucho. The protectors for the horses and chaps worn by the men speak of the aggressive environment of Chaco Province. In the mountains is where the past plays a leading role. There can be found the best poncho weavers and one can enjoy the rhythm of their chacareras. The colorfull ponchos of the land of the Calchaquí Indians and the black and red of the gauchos from Salta Province illuminate the severe landscape and the traditional fiestas of the northwest. After heroically crossing the Andes, the gaucho from the west became a farmer and vineyard keeper. "Cuecas" (a traditional dance) and "tonadas" (songs) are the expression of his happiness. Patagonia is the immense area where gauchos from other regions have planted the Argentine flag, defying the climate with their austere black Castillian ponchos.

" G A U C H O S "

prólogo de Elsa Insogna

O "gaucho" (= habitante das Pampas) é, ao mesmo tempo, um sentimento e uma realidade; é história e é também presente. Aquele protagonista das vaquejadas do século XVIII, hábil cavaleiro para capturar o gado chimarrão (= selvagem), passará a ser no século seguinte, o *agregado* ou o peão de uma fazenda; no Uruguai será *gaudério* e, mais tarde, já no século XIX, *gaúcho* (também *gahúcho*). Só depois de 1810 aparece na Argentina a palavra "gaucho"; San Martin a utiliza, dando-lhe dignidade, fazendo referência aos "valentes 'gauchos' de Salta".

Foi longo o processo de sua afirmação como protótipo. Partindo de sua fama de vadio e brigão, com seu nome dignificado nas guerras da Independência e enveredando pelas sendas normais do trabalho, o "gaucho" encarna hoje o homem de campo, hábil pela excelência em todas as fainas, forte, leal, altivo, enérgico, apegado ao solo, orgulhoso da sua estirpe. O "gaucho" foi o peão de fazenda que trabalhou na criação desses estabelecimentos rurais: amansou potros, conduziu o gado desafiando distâncias e climas; também foi o prático que orientou o viajante e o taberneiro, personagem protótipo do campo argentino, como também o foram os donos de pousada das obras de Cervantes. Podemos afirmar com orgulho que o "gaucho" não desapareceu. Fiel a si mesmo, mantém firmes seus ideais e o culto de suas habilidades e destrezas; com sabedoria e constância sabe transmiti-los a seus filhos, mesmo à custa de que os tempos lhe tenham imposto transformações nos aspectos externos de sua pessoa e de seu ambiente. Hoje é difícil reconstruir a imagem do "gaucho" plasmada nos documentos iconográficos com sua calça com bordados, chiripá à maneira do índio, o luxuoso cinto com moedas, o colete andaluz, chapéu em ponta, botas de potro com os dedos de fora "para manter-se melhor nos estribos ..."; nas mãos o chicote, o laço ... e, isso sim, junto ao cavalo, ontem e hoje sua mais prezada "riqueza".

Na República Argentina, a figura do "gaucho" que, algumas vezes foi chamado "o cavaleiro andante das Pampas", faz parte da paisagem e em cada região se impregna da cor local. O "gaucho" sureiro da Região Pampeana, nosso "gaucho", é sóbrio em suas palavras e em sua vestimenta; exibe o poncho pampa e suas habilidades de domador, de bom dançarino e cantor. Na Mesopotâmia, unem-se ao vermelho dos ponchos de Entre Rios, a doçura do guarani, as alegrias do "chamamê" (= ritmo típico), a branca vestimenta do "gaucho" de Missiones. O "guarda-monte" (= abas de couro protetoras) para o cavalo e as perneiras para o homem falam da natureza agressiva do Chaco. A Serra é onde o passado aparece como protagonista: ali se encontram os melhores tecedores de ponchos e se desfruta o ritmo das suas "chacareiras" (= música e dança típicas). O colorido poncho dos Vales Calchaquis e o vermelho e preto dos de Salta iluminam a paisagem severa e as festas tradicionais do Noroeste.

Depois de atravessar os Andes numa heróica façanha, o "gaucho" de Cuyo tornou-se agricultor e viticultor; "cuecas" (= dança típica) e toadas são a expressão da sua alegria. A Patagônia, por sua vez, é a imensa paisagem aonde chegam "gauchos" de outras regiões para construir a Pátria, desafiando o clima com seus severos ponchos pretos de Castela.

Págs. 8-9,
Gauchos Arequeros. /
Gauchos from San Antonio de Areco. /
Gauchos de San Antônio de Areco.
Pcia. de Buenos Aires.

Estanciero y lujos. /
Rancher and luxuries. / Fazendeiro e adornos.
San Antonio de Areco. Pcia de Buenos Aires.

Plateria criolla y trabajos en tiento. /
"Gaucho silver and rawhide handicraft". /
Prataria "criolla" e trabalhos em tiras de couro.

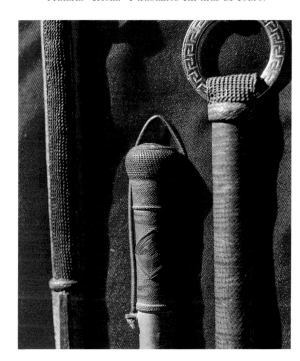

13

Lujos. /
Luxuries. / Adornos.
San Antonio de Areco.
Pcia. de Buenos Aires.

14

Jineteada. /
Horse breaking. / Gineteando.
San Antonio de Areco. Peia. de Buenos Aires.

Asado. /
Barbecue. / Churrasco.
San Antonio de Areco. Pcia. de Buenos Aires.

19

Estanciero. /
Rancher. / Fazendeiro.
San Antonio de Areco. Pcia. de Buenos Aires.

20

Pág. 21,
Gaucho "surero". /
A Gaucho of the southern pampas. / "Gaucho sureiro".
San Antonio de Areco. Pcia. de Buenos Aires.

Gaucho y lujos "sureros". /
A Gaucho and luxuries of the southern pampas. /
"Gaucho e adornos sureiros".
Gral. Alvear. Pcia. de Buenos Aires.

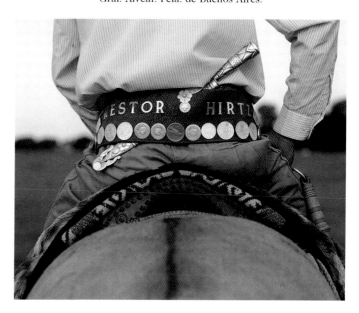

Págs. 24-25,
Vadeando una laguna. /
Crossing the pond. / Atravessando uma lagoa.
Gral. Alvear. Pcia. de Buenos Aires.

Gauchos cordobeses. /
Gauchos from Córdoba. / "Gauchos" de Córdoba.

Gauchos y lujos pampeanos. /
Gauchos and luxuries from La Pampa. /
"Gauchos" e adornos de La Pampa.

Págs. 30-31,
Cruzando el río. /
Swimming across the river. / Atravesando o rio a nado.
Diamante. Pcia. de Entre Rios.

Gauchos misioneros. /
Gauchos from Misiones. / "Gauchos" de Misiones.

Pág. 34,
Gaucho correntino. /
Gaucho from Corrientes. / "Gaucho" de Corrientes.

35

Alpargatas con espuelas.
Espadrilles with spurs. / Alpargatas com esporas.
Goya. Peia. de Corrientes.

Tomando tereré. / *Drinking cold mate tea.* / Tomando "tererê". Pcia. de Formosa.

Pág. 37,
Volteando "a la uña". /
Throwing them by hand. / Derrubando um vacum à unha.
Gran guardia. Idem.

Gaucho santiagueño. /
Gaucho from Santiago del Estero. /
"Gaucho" de Santiago del Estero.

El "chango". /
A young Gaucho. / Um "Chango".
Pampa Grande. Peia. de Salta.

40

Pág. 41,
El baile. / *The dance.* / Dançando.
Peia. de Salta.

Págs. 42-43,
Gauchos salteños. /
Gauchos from Salta. / "Gauchos" de Salta. Idem

Págs. 44-45,
Gauchos tucumanos. /
Gauchos from Tucumán. /
"Gauchos" de Tucumán.

45

Gaucho y lujos catamarqueños. /
Gaucho and luxuries from Catamarca. /
"Gaucho" e adornos de Catamarca.

Gauchos riojanos. /
Gauchos from La Rioja. / "Gauchos" de La Rioja.

Págs. 50-51,
Boleando. /
Catching a mare with boleadoras. /
Arremessando as boleadeiras a uma mula.
Zonda. Pcia. de San Juan.

Pág. 52,
Gauchos mendocinos. /
Gauchos from Mendoza. / "Gauchos" de Mendoza.

53

Bordados. / *Embroidery.* / Bordados.
Peia. de Mendoza.

Págs. 54-55,
En busca de hacienda. /
Searching for cattle. / Procurando gado.
Pcia. del Neuquén.

Cabezada de tejido Tehuelche. /
Tehuelche woven bridle. /
Cabeção trançado "Tehuelche".
Pcia. de Santa Cruz.

Pág. 57,
Gaucho santacruceño. /
Gaucho from Santa Cruz. / "Gaucho" de Santra Cruz.

Págs. 58-59,
Gauchos fueguinos. /
Gauchos from Tierra del Fuego. / "Gaucho" de Tierra del Fuego.

INDICE DE PROVINCIAS
por orden alfabético

REPÚBLICA ARGENTINA
División Política. /
Political Division. /
Divisão Política.

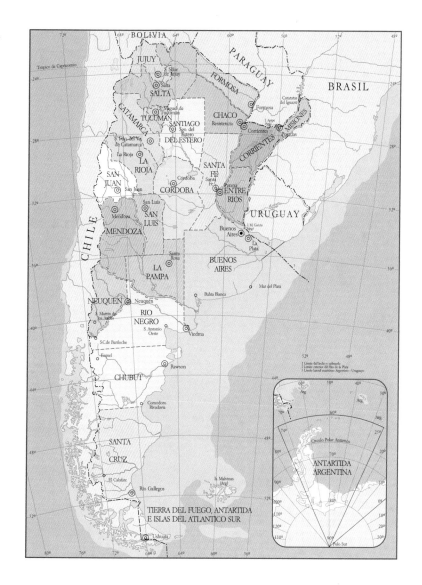

LIBROS ILUSTRADOS POR ALDO SESSA

Cosmogonías (1976) poemas de Jorge Luis Borges / dibujos de Aldo Sessa

Letra e Imagen de Buenos Aires (1977) textos de Manuel Mujica Lainez / fotografías de Aldo Sessa

Más Letras e Imágenes de Buenos Aires (1978) textos de Manuel Mujica Lainez / fotografías de Aldo Sessa

ARBOLES de Buenos Aires (1979) poemas de Silvina Ocampo / fotografías de Aldo Sessa

FANTASMAS PARA SIEMPRE (1980) textos de Ray Bradbury / dibujos y pinturas de Aldo Sessa

Nuestra Buenos Aires (1982) textos de Manuel Mujica Lainez / fotografías de Aldo Sessa

TUCUMAN (1982) fotografías de Aldo Sessa

Jockey Club, UN SIGLO (1982) texto de Manuel Mujica Lainez / fotografías de Aldo Sessa

VIDA Y GLORIA DEL TEATRO COLON (1982) texto de Manuel Mujica Lainez / fotografías de Aldo Sessa

MAS VIDA Y GLORIA DEL TEATRO COLON (1985) texto de Silvina Bullrich / fotografías de Aldo Sessa

RINCONES DE BUENOS AIRES (1987) texto de José María Peña / fotografías de Aldo Sessa

YRURTIA (1988) fotografías de Aldo Sessa

ARGENTINA, Una aventura fotográfica (1990) texto de Elsa Insogna / fotografías de Aldo Sessa

ARGENTINA, for export (1991) texto de Elsa Insogna / fotografías de Aldo Sessa

ARGENTINA panorama (1992) texto de Elsa Insogna / fotografías de Aldo Sessa

Manhattan Panorama (1992, Rizzoli International) / fotografías de Aldo Sessa

MAGICA BUENOS AIRES (1992) prólogo de José María Peña / fotografías de Aldo Sessa

PATAGONIA ARGENTINA, el lejano sur (1993) texto de Elsa Insogna / fotografías de Aldo Sessa

PUNTA DEL ESTE (1994) prólogo de Julia Rodríguez Larreta / fotografías de Aldo Sessa

LOS ARGENTINOS (1994) prólogo de Ignacio Gutiérrez Zaldívar / fotografías de Aldo Sessa

LOS ARGENTINOS II (1995) prólogo de Félix Luna / fotografías de Aldo Sessa

FLORES Y ARBOLES de BUENOS AIRES (1995) prólogo de José María Peña / fotografías de Aldo Sessa

EL MAGICO MUNDO del TEATRO COLON (1995) prólogo de Angel Fumagalli / fotografías de Aldo Sessa

ARGENTINA desde el AIRE, el AGUA y la TIERRA (1995) texto de Elsa Insogna / fotografías de Aldo Sessa

NUEVA ARGENTINA PANORAMA (1996) texto de Elsa Insogna / fotografías de Aldo Sessa

LOS GAUCHOS, su paisaje, sus costumbres, destrezas y lujos (1997) textos de Juan José Güiraldes / fotografías de Aldo Sessa

GAUCHOS Argentinos (1998) texto de Juan José Güiraldes / fotografías de Aldo Sessa

GAUCHOS (1998) texto de Elsa Insogna / fotografías de Aldo Sessa

ARGENTINA un mundo de paisajes (1998) prólogo de Elsa Insogna / fotografías de Aldo Sessa

PARTICIPARON EN LA REALIZACIÓN DE ESTE LIBRO:

Aldo Sessa: Dirección general del proyecto.

Carolina Sessa: Diseño gráfico y Producción, *Estudio Aldo Sessa*.
Carlos A. Silva: Producción gráfica, *Estudio Aldo Sessa*.
Damián A. Hernández: Edición fotográfica, *Estudio Aldo Sessa*.
Jorge D. Granados: Archivo, *Estudio Aldo Sessa*.
Raúl Gigante: Laboratorio, *Estudio Aldo Sessa*.
Marcos Bongarrá: Secretaría, *Estudio Aldo Sessa*.

Luis Sessa: Dirección Ejecutiva, *Sessa Editores*.
Marta L. Girolli: Gerencia Comercial, *Sessa Editores*.
Jorge de la Fuente: Finanzas y Control, *Sessa Editores*.
Rubén Romero: Contaduría, *Sessa Editores*.
Rodrigo Bermúdez: Secretaría, *Sessa Editores*.
Pablo Gomez: Secretaría, *Sessa Editores*.

Ted McNabney: Traducción al inglés.
Lelia Wistak: Traducción al portugués.

Lisl Steiner: Liaison en EE. UU.

Las fotografías fueron tomadas en su totalidad con películas Kodak,
gentilmente facilitadas por Kodak Argentina S. A. I. C.

Los derechos de reproducción de todas las fotografías de este libro se comercializan en
ALDO SESSA PHOTO STOCK ARGENTINA
AV. Corrientes 880, 8° Piso, Buenos Aires (1043), República Argentina.
Tels.: (54-1) 393-9126/9142/393-0168; Fax: 393-2221. E-mail: urano@compunet.com.ar

Esta edición de "GAUCHOS", con fotografías de Aldo Sessa,
se terminó de imprimir en Singapur el 29 de Abril de 1998.